在庆祝中国人民解放军建军 90 周年大会上的讲话

（2017 年 8 月 1 日）

习　近　平

人　民　出　版　社

在庆祝中国人民解放军建军90周年大会上的讲话

（2017年8月1日）

习 近 平

同志们，朋友们：

今天，我们在这里隆重集会，庆祝中国人民解放军建军90周年，回顾在中国共产党领导下人民军队的光辉历程，展望国防和军队现代化建设的光明前景，动员全党全军全国各族人民继续奋斗，汇聚起强国强军的磅礴力量，共同为实现“两个一百年”奋斗目标、实现中华民族伟大复兴的中国梦而不懈奋斗。

同志们、朋友们！

90年前，我国处在半殖民地半封建社会，中华民族处在积贫积弱、内忧外患的苦难深渊，中国人民处在饥寒交迫、民不聊生的悲惨境地。为民族独立和人民解放，为推翻帝国主义、封建主义、官僚资本主义三座大山，中国共产党和中国人民进行着不屈不挠、艰苦卓绝的斗争。

然而，正当大革命如火如荼的时候，国民党反动派背叛革命、背叛人民，向中国共产党人和革命群众举起了血腥的屠刀。一时间，神州大地笼罩在腥风血雨之中，中国共产党面临被赶尽杀绝的严重危险，中国革命处于命悬一线的紧要关头。在严酷的斗争和血的教训中，我们党深刻认识到，没有革命的武装就无法战胜武装的反革命，就无法担起领导中国革命的重任，就无法夺取中国革命的胜利，就无法改变中国人民和中华民族的命运。

1927 年 8 月 1 日，南昌城头一声枪响，拉开了我们党武装反抗国民党反动派的大幕。这是中国共产党历史上的一个伟大事件，是中国革命史上的一个伟大事件，也是中华民族发展史上的一个伟大事件。

南昌城头的枪声，像划破夜空的一道闪电，使中国人民在黑暗中看到了革命的希望，在逆境中看到了奋起的力量。南昌起义连同秋收起义、广州起义以及其他许多地区的武装起义，标志着中国共产党独立领导革命战争、创建人民军队的开端，开启了中国革命新纪元。

自那时起，中国共产党领导下的人民军队，就英勇投身为中国人民求解放、求幸福，为中华民族谋独立、谋复兴的历史洪流，同中国人民和中华民族的命运紧紧连在了一起。

90 年来，人民军队历经硝烟战火，一路披荆斩棘，付出巨大牺牲，取得一个又一个辉煌胜利，为党和人民建立了伟大的历史功勋。

——这个伟大的历史功勋就是，英雄的人民军队，在党领导的 22 年武装革命斗争中，以无往不胜的英雄气概、坚韧不拔的革命毅力、灵活机动的战略战术、英勇顽强的战斗作风，克服了各种难以想象的艰难困苦，打败了国内外异常凶恶的敌人，夺取了土地革命战争、抗日战争、解放战争的伟大胜利，推翻了压在中国人民头上的三座大山，以鲜血和生命为建立人民当家作主的新中国奠定了牢固根基，彻底扭转了中华民族近代以来落后挨打的被动局面。

——这个伟大的历史功勋就是，英雄的人民军队，积极投身社会主义革命和建设，全面履行保卫祖国、保卫人民和平劳动的职能，胜利进行抗美援朝战争和多次边境自卫作战,打出了国威军威,捍卫了祖国万里边疆和辽阔海空,为巩固新生人民政权、形成中国大国地位、维护中华民族尊严提供了坚强后盾。

——这个伟大的历史功勋就是,英雄的人民军队,积极投身改革开放新的伟大革命,有力服务和保障国家改革发展稳定大局,依法履行香港、澳门防务职责,有效应对国家安全面临的各种威胁,坚决打击一切形式的分裂破坏活动,积极参与对外军事交流合作和联合国维和行动,为维护中国共产党领导和我国社会主义制度,为维护国家主权、安全、发展利益,为维护我国发展的重要战略机遇期,为维护地区和世界和平提供了强大力量支撑。

人民军队一路走来,紧跟党和人民事业发展步伐,在战斗中成长,在继承中创新,在建设中发展,革命化现代化正规化水平不断提高,威慑和实战能力不断增强。人民军队已经由过去单一军种的军队发展成为诸军兵种联合的强大军队,由过去“小米加步枪”武装起来的军队发展成为基本实现机械化、加快迈向信息化的强大军队。

同志们、朋友们!

90 年来,我们的国家、我们的民族历经挫折而奋起、历经苦难而辉煌，发生了前所未有的历史巨变，实现了从站起来到富起来、强起来的伟大飞跃。这是中国共产党坚强领导的胜利，是中国人民不懈奋斗的胜利，也是人民军队英勇奋战的胜利。

在这个光荣而庄严的时刻，我们深切怀念创建和培育了人民军队的毛泽东、周恩来、刘少奇、朱德、邓小平同志和彭德怀、刘伯承、贺龙、陈毅、罗荣桓、徐向前、聂荣臻、叶剑英同志等老一辈革命家和军事家。他们的丰功伟绩，永远镌刻在中华民族史册上！

在这个光荣而庄严的时刻，我们深切缅怀为中国人民解放事业和社会主义建设事业而英勇献身的人民军队革命烈士们。他们的牺牲奉献，永远铭记在中国人民心中！

在这里，我代表党中央、国务院和中央军委，向战斗在保卫祖国、建设祖国各个岗位上的人民解放军指战员、武警部队官兵、预备役军人和广大民兵，致以节日的祝贺！向为中国革命、建设、改革事业作出重大贡献的人民军队离退休老同志，表示诚挚的问候！向在各个时期为人民军队建设作出贡献的转业退伍军人、革命伤残军人和烈军属，表示诚挚的慰问！向在国防科技工业战线顽强拼搏的科学家、工程技术人员和广大干部职工，致以衷心的感谢！向长期以来关心和支持人民解放军建设的全国各族人民，致以崇高的敬意！

同志们、朋友们！

90年来，在长期实践中，人民军队在党的旗帜下前进，形成了一整套建军治军原则，发展了人民战争的战略战术，培育了特有的光荣传统和优良作风。这是人民军队从胜利走向胜利的传家法宝，是人民军队必须永志不忘的红色血脉。

——人民军队从胜利走向胜利，彰显了中国共产党领导的伟大力量。毛泽东同志曾经指出："我们的原则是党指挥枪，而决不容许枪指挥党。"党对军队绝对领导的根本原则和制度，发端于南昌起义，奠基于三湾改编，定型于古田会议，是人民军队完全区别于一切旧军队的政治特质和根本优势。千千万万革命将士矢志不渝听党话、跟党走，在挫折中愈加奋起，在困苦中勇往直前，铸就了拖不垮、打不烂、攻无不克、战无不胜的钢铁雄师。在风雨如磐的漫长革命道路上，我军将士讲得最多的一句话是：只要跟党走，一定能胜利。忠诚，造就了人民军队对党的赤胆忠心，造就了人民军队和人民的鱼水情意，造就了人民军队为党和人民冲锋陷阵的坚定意志。

历史告诉我们，党指挥枪是保持人民军队本质和宗旨的根本保障，这是我们党在血与火的斗争中得出的颠扑不破的真理。有了中国共产党，有了中国共产党的坚强领导，人民军队前进就有方向、有力量。前进道路上，人民军队必须牢牢坚持党对军队的绝对领导，把这一条当作人民军队永远不能变的军魂、永远不能丢的命根子，任何时候任何情况下都以党的旗帜为旗帜、以党的方向为方向、以党的意志为意志。

——人民军队从胜利走向胜利，彰显了理想信念的伟大力量。崇高的理想，坚定的信念，是中国共产党人的政治灵魂，是人民军队的精神支柱。邓小平同志曾经指出："为什么我们过去能在非常困难的情况下奋斗出来，战胜千难万险使革命胜利呢？就是因为我们有理想，有马克思主义信念，有共产主义信念。"从艰苦卓绝的井冈山斗争到千难万险的长征路，从硝烟弥漫的抗日战争到摧枯拉朽的解放战争，从坚决捍卫国家主权、安全、领土完整的英勇斗争到抢险救灾、保卫人民生命财产安全的顽强拼搏，从支援国家经济社会建设的无私奉献到维护地区和世界和平的实际行动，崇高理想信念的灯塔指引人民军队一路向前。

历史告诉我们，革命理想高于天，人民军队之所以能够攻坚克难、战无不胜、发展壮大，关键是人民军队有马克思主义理论武装，有崇高理想信念，有为理想信念而英勇献身的崇高追求。崇高理想信念是人民军队勇往直前的精神力量，是全军将士心中熊熊燃烧的火炬。前进道路上，人民军队必须矢志不渝坚持崇高理想信念，任何时候任何情况下都敢于为崇高理想信念而奋不顾身奋斗。

——人民军队从胜利走向胜利，彰显了改革创新的伟大力量。人民军队成长发展史，就是一部改革创新史。土地革命战争时期创立一整套建军原则制度，抗日战争时期实行精兵简政，解放战争时期组建五大野战军，新中国成立后多次调整体制编制，人民军队边战边改，边建边改，愈改愈强。从红军时期的“十六字诀”，到抗日战争时期的“持久战”，从解放战争时期的“十大军事原则”，到抗美援朝战争时期的“零敲牛皮糖”，再到新中国成立后军事战略方针的不断调整，人民军队从战争中学习战争，从实践中探索规律，在世界军事史上书写了战争指导艺术不断创新的生动篇章。

历史告诉我们，改革创新、与时俱进，是人民军队不断发展的康庄大道，人民军队的力量来自改革创新，人民军队的胜利来自改革创新。只有不断改革创新，才能不断获得发展进步的生机活力，才能永远立于不败之地。前进道路上，人民军队必须勇于改革、善于创新，任何时候任何情况下都永不僵化、永不停滞。

——人民军队从胜利走向胜利，彰显了战斗精神的伟大力量。敢于斗争、敢于胜利，一不怕苦、二不怕死，是人民军队血性胆魄的生动写照。“狼牙山五壮士”、“白刃格斗英雄连”、“刘老庄连”、董存瑞、邱少云、黄继光等无数英雄群体和革命先烈，用生命诠释了一往无前的英雄气概。在枪林弹雨的战场上，面对气焰嚣张的强大敌人，人民军队曾经发出了“三个不相信”的英雄宣言：在革命战士面前，不相信有完不成的任务，不相信有克服不了的困难，不相信有战胜不了的敌人！英勇顽强，视死如归，血战到底，人民军队用大无畏的气概赢得了党的信任、人民赞誉，也赢得了世界尊敬。

历史告诉我们，战争不仅是物质的较量，更是精神的比拼。没有顽强的意志,没有敢于牺牲的品质,再好的武器装备也不能保证胜利。一代一代革命军人正是靠着向死而生的英勇决绝,形成了压倒一切敌人而决不被敌人所屈服的伟大气概。前进道路上,人民军队必须大力弘扬敢打必胜的精神品质,任何时候任何情况下都保持革命英雄主义的昂扬斗志。

——人民军队从胜利走向胜利,彰显了革命纪律的伟大力量。人民军队素以纪律严明著称于世,自创建之日起就把革命的坚定性、政治的自觉性、纪律的严肃性结合起来,统一意志、统一指挥、统一行动,千军万马有令必行、有禁必止,攻如猛虎、守如泰山。正是由于有了建立在高度政治觉悟基础上的革命纪律,将士们哪怕冻饿交加,也不拿群众一针一线;哪怕烈火焚身,也岿然不动,直至付出生命;哪怕身陷绝境,也坚守战位,慷慨赴死。人民军队始终是高度团结统一的战斗集体,始终保持了强大的凝聚力和战斗力。

历史告诉我们,加强纪律性,革命无不胜。一支军队的力量,不仅要看其人数,不仅要看其武器装备,还要看其纪律性。一支没有纪律的军队,只能是乌合之众。前进道路上，人民军队必须用铁的纪律凝聚铁的意志、锤炼铁的作风、锻造铁的队伍，任何时候任何情况下都一切行动听指挥、步调一致向前进。

——人民军队从胜利走向胜利，彰显了军民团结的伟大力量。人民军队始终和人民同呼吸、共命运、心连心，完全彻底为人民奋斗，哪里有敌人，哪里有危难，哪里就有人民子弟兵。谁把人民放在心上，人民就把谁放在心上。“最后一碗米送去做军粮，最后一尺布送去做军装，最后一件老棉袄盖在担架上，最后一个亲骨肉送去上战场”。这首战争年代广为传唱的民谣，就是军民团结如一人的生动体现。

历史告诉我们，有了民心所向、民意所归、民力所聚，人民军队就能无往而不胜、无敌于天下。只要始终站在人民立场上，赢得最广大人民衷心拥护，就能构筑起众志成城的铜墙铁壁。前进道路上，人民军队必须牢记全心全意为人民服务的根本宗旨，任何时候任何情况下都做人民子弟兵。

同志们、朋友们！

人民军队的历史辉煌，是鲜血生命铸就的，永远值得我们铭记。人民军队的历史经验，是艰辛探索得来的，永远需要我们弘扬。人民军队的历史发展，是忠诚担当推动的，永远激励我们向前。

党的十八大以来，我们着眼于实现“两个一百年”奋斗目标、实现中华民族伟大复兴的中国梦，提出建设一支听党指挥、能打胜仗、作风优良的人民军队这一党在新形势下的强军目标，与时俱进创新军事战略指导，制定新形势下军事战略方针。我们在古田召开全军政治工作会议，大力加强政治建军，坚定不移开展党风廉政建设和反腐败斗争。我们推进全面深化国防和军队改革，建立军委管总、战区主战、军种主建的新格局，实现了人民军队组织形态的整体性重塑，迈出了构建中国特色军事力量体系的历史性步伐，人民军队体制一新、结构一新、格局一新、面貌一新。我们坚持依法治军、从严治军，推进治军方式根本性转变。我们坚持战斗力这个唯一的根本的标准，深入推进练兵备战，坚决捍卫国家领土主权和海洋权益。我们深入贯彻新发展理念，更加注重聚焦实战，更加注重创新驱动，更加注重体系建设，更加注重集约高效，更加注重军民融合，不断提高人民军队建设质量和效益。

经过 5 年努力，人民军队实现了政治生态重塑、组织形态重塑、力量体系重塑、作风形象重塑，人民军队重整行装再出发，在中国特色强军之路上迈出了坚实步伐。

同志们、朋友们！

历史车轮滚滚向前。今天的世界，国际形势正发生前所未有之大变局；今天的中国，中国特色社会主义正全面向前推进。实现中华民族伟大复兴的中国梦，我们面临难得机遇，具备坚实基础，拥有无比信心。同时，我们必须清醒看到，前进道路从来不会是一片坦途，必然会面对各种重大挑战、重大风险、重大阻力、重大矛盾，必须进行具有许多新的历史特点的伟大斗争。

站在新的历史起点上，我们更加深切地感受到，中华民族走出苦难、中国人民实现解放，有赖于一支英雄的人民军队；中华民族实现伟大复兴，中国人民实现更加美好生活，必须加快把人民军队建设成为世界一流军队。我们要不忘初心、继续前进，坚定不移走中国特色强军之路，把强军事业不断推向前进。

——推进强军事业，必须毫不动摇坚持党对军队的绝对领导，确保人民军队永远跟党走。党的领导，是人民军队始终保持强大的凝聚力、向心力、创造力、战斗力的根本保证。党对军队的绝对领导是中国特色社会主义的本质特征，是党和国家的重要政治优势，是人民军队的建军之本、强军之魂。无论时代如何发展、形势如何变化，我们这支军队永远是党的军队、人民的军队。全军要强化政治意识、大局意识、核心意识、看齐意识，坚决维护党中央权威，坚决贯彻党对军队绝对领导的根本原则和制度，坚决听从党中央和中央军委指挥。在这个重大原则问题上，头脑要特别清醒，态度要特别鲜明，行动要特别坚决，不能有任何动摇、任何迟疑、任何含糊。

——推进强军事业，必须坚持和发展党的军事指导理论，不断开拓马克思主义军事理论和当代中国军事实践发展新境界。人民军队之所以不断发展壮大，关键在于始终坚持先进军事理论的指导。党的十八大以来，我们党围绕国防和军队建设提出一系列新思想新观点新论断新要求，形成了党在新时期的强军思想。全军要认真贯彻党的军事指导理论，坚持用党在新时期的强军思想武装官兵，引领强军事业不断取得新进步。实践发展永无止境，认识真理永无止境，理论创新永无止境。强军是具有很强开创性的事业，我们要不断适应新形势、应对新挑战、解决新问题，在实践上大胆探索，在理论上勇于突破，不断丰富和发展党在新时期的强军思想，让马克思主义军事理论在强军伟大实践中放射出更加灿烂的真理光芒。

——推进强军事业，必须始终聚焦备战打仗，锻造召之即来、来之能战、战之必胜的精兵劲旅。安不可以忘危，治不可以忘乱。我们捍卫和平、维护安全、慑止战争的手段和选择有多种多样，但军事手段始终是保底手段。人民军队永远是战斗队，人民军队的生命力在于战斗力，必须强化忧患意识，坚持底线思维，全部心思向打仗聚焦，各项工作向打仗用劲，确保在党和人民需要的时候拉得出、上得去、打得赢。全军要贯彻新形势下军事战略方针，认真研究军事、研究战争、研究打仗，把握现代战争规律和战争指导规律，扎扎实实做好军事斗争准备各项工作。要坚持仗怎么打兵就怎么练，打仗需要什么就苦练什么，什么问题突出就解决什么问题，全面提高军事训练实战化水平。中国人民珍爱和平，我们决不搞侵略扩张，但我们有战胜一切侵略的信心。我们绝不允许任何人、任何组织、任何政党、在任何时候、以任何形式、把任何一块中国领土从中国分裂出去，谁都不要指望我们会吞下损害我国主权、安全、发展利益的苦果。人民军队要坚决维护中国共产党领导和我国社会主义制度，坚决维护国家主权、安全、发展利益，坚决维护地区和世界和平。

——推进强军事业，必须坚持政治建军、改革强军、科技兴军、依法治军，全面提高国防和军队现代化水平。要深入贯彻古田全军政治工作会议精神，发挥政治工作生命线作用，培养有灵魂、有本事、有血性、有品德的新一代革命军人，锻造铁一般信仰、铁一般信念、铁一般纪律、铁一般担当的过硬部队，永葆人民军队性质、宗旨、本色。全军要坚定不移深化国防和军队改革，深入解决制约国防和军队建设的体制性障碍、结构性矛盾、政策性问题，完善和发展中国特色社会主义军事制度，加快构建能够打赢信息化战争、有效履行使命任务的中国特色现代军事力量体系。要全面实施科技兴军战略，坚持自主创新的战略基点，瞄准世界军事科技前沿，加强前瞻谋划设计，加快战略性、前沿性、颠覆性技术发展，不断提高科技创新对人民军队建设和战斗力发展的贡献率。要增强全军法治意识，加快构建中国特色军事法治体系，加快实现治军方式根本性转变。

——推进强军事业，必须深入推进军民融合发展，构建军民一体化的国家战略体系和能力。把军民融合发展上升为国家战略，是我们党长期探索经济建设和国防建设协调发展规律的重大成果，是从国家发展和安全全局出发作出的重大决策，是应对复杂安全威胁、赢得国家战略优势的重大举措。要强化顶层设计，加强需求整合，统筹增量存量，同步推进体制和机制改革、体系和要素融合、制度和标准建设，加快形成全要素、多领域、高效益的军民融合深度发展格局，努力开创经济建设和国防建设协调发展、平衡发展、兼容发展新局面。我们的国防是全民的国防，推进国防和军队现代化是全党全国人民的共同事业。中央和国家机关、地方各级党委和政府要强化国防意识，满腔热忱支持国防和军队建设改革，为强军创造良好条件、提供有力支撑。

——推进强军事业，必须坚持全心全意为人民服务的根本宗旨，始终做人民信赖、人民拥护、人民热爱的子弟兵。军队打胜仗，人民是靠山。人民军队的根脉，深扎在人民的深厚大地；人民战争的伟力，来源于人民的伟大力量。全军要坚持把人民放在心中，牢记为人民扛枪、为人民打仗的神圣职责，坚决保卫人民和平劳动和生活。要发扬密切联系群众的优良传统，保持同人民群众水乳交融、生死与共的关系，永远做人民利益的捍卫者。要积极参加和支援地方经济社会建设，勇于承担急难险重任务，以实际行动为人民造福兴利。军政军民团结是我党我军特有的政治优势。全党全军全国各族人民要大力弘扬军爱民、民拥军的光荣传统，不断发展坚如磐石的军政军民关系。

同志们、朋友们！

中国始终是世界和平的建设者、全球发展的贡献者、国际秩序的维护者，中国军队始终是维护世界和平的坚定力量。中国军队将一如既往开展国际军事交流合作，共同应对全球性安全挑战，积极履行同中国国际地位相称的责任和义务，为推动构建人类命运共同体积极贡献力量。

同志们、朋友们！

90 年艰辛探索，90 年不懈奋斗，我们的事业是伟大的，我们的任务是艰巨的，我们的发展前景是无比光明的。全党全军全国各族人民一定要团结一心向前进,在中国特色社会主义伟大实践中,不断书写强国强军更为辉煌的篇章,不断创造无愧于历史和时代的新的光辉业绩!

图书在版编目(CIP)数据

在庆祝中国人民解放军建军90周年大会上的讲话/
习近平 著. —北京:人民出版社,2017.8
ISBN 978-7-01-018072-4

Ⅰ.①在… Ⅱ.①习… Ⅲ.①习近平-讲话 ②中国人民解放军-军队建设-学习参考资料 Ⅳ.①D2-0 ②E20

中国版本图书馆CIP数据核字(2017)第196297号

(RMC-ZJDXI-051-20170801)

在庆祝中国人民解放军建军90周年大会上的讲话

ZAI QINGZHU ZHONGGUO RENMIN JIEFANGJUN JIANJUN 90 ZHOUNIAN DAHUI SHANG DE JIANGHUA

(2017年8月1日)

习 近 平

人民出版社 出版发行
(100706 北京市东城区隆福寺街99号)

北京新华印刷有限公司印刷 新华书店经销

2017年8月第1版 2017年8月北京第1次印刷
开本:880毫米×1230毫米 1/32 印张:0.75
字数:11千字

ISBN 978-7-01-018072-4 定价:2.20元

邮购地址 100706 北京市东城区隆福寺街99号
人民东方图书销售中心 电话 (010)65250042 65289539

51

ISBN 978-7-01-018072-4

9 787010 180724 >

定价:2.20 元

在庆祝香港回归祖国二十周年大会暨香港特别行政区第五届政府就职典礼上的讲话

（2017 年 7 月 1 日）

习　近　平

人　民　出　版　社